Niveau
lecture
1

Tous lecteurs

Roman

CW00429933

Mission « noisettes » !

Rémi Chaurand

Illustrations de Laurence Clément

hachette
ÉDUCATION

Depuis quelques jours,
Robin est marmiton*
au château. Il aide le grand
Clovis à préparer les repas
pour le roi et sa famille.

Devenir cuisinier, c'est son rêve !

Robin passe toutes ses journées
à éplucher, à couper, à trancher,
à cuire, à laver, à goûter,
à pétrir*, à ramasser, à courir,
à mélanger, à porter…

Ce matin, Clovis prépare
un gros gâteau aux noisettes
pour le banquet* de ce soir.
Le roi invite tous les seigneurs*
de la région pour l'anniversaire
de sa fille, la princesse Flora.

« Robin, donne-moi le sac
de noisettes !

– Heu… le sac de noisettes ?
À vos ordres, chef ! »

« Mais où sont les noisettes ?
À la réserve peut-être ? »
se demande Robin. Il sort
de la cuisine en courant.

La salle du trône ! Le roi est là
avec ses conseillers.

Ce n'est pas ici que Robin
va trouver ses noisettes !
Chut, pas de bruit...

Robin déboule* dans la salle
du banquet. Il s'est encore
trompé !

« Bonjour monsieur,
vous cherchez quelque chose ?
demande la princesse Flora.
– Heu... bonjour damoiselle,
je cherche des noisettes
et je me suis perdu. »

La princesse Flora est bien
contente de rencontrer
quelqu'un de son âge
dans ce grand château.
Elle s'ennuie un peu
toute seule ici.

« Vous cherchez des noisettes ?
J'adore ça ! Je vais vous aider.
Suivez-moi ! »

Ils traversent la salle d'armes,
pleine de chevaliers
qui discutent et s'entraînent
à l'épée.

« Robin, donnez-moi la main,
tout ce vacarme* me fait peur !
Partons d'ici ! »

Ils arrivent dans la cour
du château. C'est immense*...
Ils passent devant les écuries.
Les deux enfants s'amusent
beaucoup à courir partout !

« Là-bas ! La porte
de la réserve ! » s'écrie Flora.

Ha ! Voilà la réserve,
comme c'est grand !
Il y a tellement de choses
à manger ici.
La princesse Flora et Robin
cherchent partout un sac
de noisettes. Mais où est-il ?

Les deux enfants sont
de gros gourmands.
Ils regardent, ils hésitent...
et décident de goûter un peu.

« Mmhh ! délicieuse,
cette confiture ! dit Robin.
— Et ces pommes !
— Tiens, des noix...

Oh, là, là ! J'ai oublié Clovis
et ses noisettes ! »

Robin et la princesse filent
vers la cuisine, les mains vides.

« Désolé, maître Clovis,
j'ai cherché partout,
mais je n'ai pas trouvé
les noisettes.
– C'est vrai, je l'ai aidé,
mais impossible
de les trouver !

– Oh ! Princesse !
Quel honneur de vous voir
dans ma cuisine ! s'exclame
Clovis en enlevant
son chapeau.

– Vous… P… Pri… Princesse ?
bredouille* Robin
en rougissant.
– Oui ! Et je suis ravie
d'avoir trouvé un nouvel ami.
À bientôt ! »
Flora sort de la cuisine
en riant.

« Mon Robin, retourne
au travail ! Mais où es-tu donc
allé chercher les noisettes ?
Elles sont toujours là,
près de la cheminée ! »
s'écrie Clovis.

Lexique

un banquet : un grand repas.

bredouiller : parler en hésitant.

débouler : arriver rapidement.

immense : très grand.

un marmiton : un apprenti cuisinier.

pétrir : remuer et malaxer une pâte à pain ou une pâte à tarte avec les mains.

un seigneur : un homme qui possède un château.

un vacarme : un très grand bruit.

Édition : Delphine Deveaux
Création de la maquette : Estelle Chandelier
Mise en pages : Cyrille de Swetschin
Fabrication : Marine Wiplier

⊞ hachette s'engage pour l'environnement en réduisant l'empreinte carbone de ses livres. Celle de cet exemplaire est de :

250 g éq. CO$_2$

Rendez-vous sur www.hachette-durable.fr

PAPIER À BASE DE FIBRES CERTIFIÉES

ISBN : 978-2-01-118183-1
© Hachette Livre 2014, 43 quai de Grenelle, 75905 Paris Cedex 15.
Tous droits de traduction, de reproduction et d'adaptation réservés pour tous pays.

Imprimé en France par Imprimerie CHIRAT - 42540 Saint-Just-la-Pendue - N° 201502.0129
Dépôt légal : Mars 2015 - Collection n° 36 - Édition 02 - 11/8183/3